PEDRO RABELO

Série Essencial | Concepção e coordenação
Antonio Carlos Secchin

Produção editorial
Monique Mendes
Revisão
Elvia Bezerra
Projeto gráfico e Editoração eletrônica
Estúdio Castellani | Imprensa Oficial do Estado de São Paulo

Catalogação na fonte:
Biblioteca da Academia Brasileira de Letras

M149 Machado, Ubiratan, 1941-.
Pedro Rabelo : cadeira 30, ocupante 1 / Ubiratan Machado. – 2.ª ed.– Rio de Janeiro : Academia Brasileira de Letras ; São Paulo : Imprensa Oficial do Estado de São Paulo, 2012.
68 p. ; 19 cm. – (Essencial ; 7)

ISBN 978-85-7440-139-3 (Academia Brasileira de Letras)
ISBN 978-85-401-0065-7 (Imprensa Oficial)

1. Rabelo, Pedro, 1868-1905. I. Título. II. Série.

CDD B869.92

Esta edição adota o novo *Acordo Ortográfico da Língua Portuguesa.*

Série Essencial

Pedro Rabelo

Cadeira 30 / Ocupante 1 (fundador)

Ubiratan Machado

AD IMMORTALITATEM

Academia Brasileira de Letras

imprensaoficial
GOVERNO DO ESTADO DE SÃO PAULO

Pedro Rabelo

Ubiratan Machado

Pedro Rabelo deixou uma obra escassa e uma biografia lacunosa. Sabemos pouco de sua vida e quase nada do homem, suas angústias, inquietações e esperanças. Dele não se conhecem anedotas nem histórias pitorescas, tão abundantes quando se trata de seus amigos e colegas de geração literária: Olavo Bilac, Coelho Neto, Guimarães Passos, Paula Nei.

Essa pobreza biográfica deve-se, em parte, ao fato de seu sucessor na Academia Brasileira de Letras, Heráclito Graça, ter tomado posse por carta, sem proferir o tradicional discurso que, em geral, revela dados e projeta alguma luz sobre o antecessor. Rabelo foi, o segundo mais jovem entre os 40 fundadores da instituição, na época com 28 anos de idade, superado apenas por Carlos Magalhães de Azeredo, quatro anos mais novo.

A escolha demonstra o prestígio de Rabelo à época, comprovado no convite que lhe fez o Presidente Machado de Assis para secretariar a primeira sessão preparatória realizada pela Academia, em 15 de dezembro de 1896. É o caso de se perguntar: quais as razões deste prestígio? Sua obra? Uma presença gentil, que cativava os seus pares? Qual a trajetória dessa vida?

Vamos tentar responder a essas perguntas, traçando um esboço de biografia do escritor, baseada numa rápida pesquisa que empreendemos em livros e publicações de época.

Pedro Carlos da Silva Rabelo nasceu na cidade do Rio de Janeiro, em 19 de outubro de 1868, filho de Joaquim de Oliveira Rabelo e Firmina Rodrigues Silva Rabelo.

De sua infância nada sabemos. O prestimoso Sacramento Blake diz que ele foi "empregado do comércio em criança"[1], o que tanto pode indicar recursos familiares modestos, como a adoção pelos pais da velha e rígida filosofia

---

[1] BLAKE, Sacramento. *Dicionário Bibliográfico Brasileiro*, vol. VII. Rio de Janeiro: Conselho Federal de Cultura, 1970, p. 29. Reedição fac-similar da primeira edição da obra.

de que não havia melhor carreira para um jovem do que o comércio.

Na mocidade, em data ignorada, ingressou como amanuense no serviço público do município do Rio de Janeiro. Fez carreira no funcionalismo, chegando a chefe na secretaria do Conselho da Intendência Municipal. No período de 1891-1894, foi redator dos debates na Câmara dos Deputados, sem prejuízo do cargo efetivo.

Em paralelo à vida burocrática, desenvolveu atividade jornalística intensa, colaborando nos mais importantes jornais e revistas cariocas das duas últimas décadas do século XIX e início do XX. O êxito na imprensa chegou cedo e ele logo se juntou aos que "entre nós cultivam as Letras, já bafejado pelo sucesso, com ar incontestado de um triunfador".[2]

Foi um dos jornalistas que ajudaram a arejar a imprensa diária com pena leve e irreverente, expressa em seções humorísticas nas primeiras páginas dos jornais, ao lado da seriedade áspera do noticiário cotidiano, característica do Jornalismo carioca do final do século XIX. O símbolo, se não o início dessa pequena revolução, foi *O Filhote*, seção da *Gazeta de Notícias*

---

[2] *O País*, 28 de dezembro de 1905.

de grande sucesso popular, modelo para dezenas de seções semelhantes.

Redigido por Olavo Bilac, Coelho Neto, Guimarães Passos, provocativo, mas sem acidez, *O Filhote* fustigava o conformismo do burguês, zombava da seriedade sem graça e sem espírito e destilava doses cotidianas de veneno contra os políticos. Apareceu pela primeira vez em 2 de agosto de 1896, na primeira página do jornal de Ferreira de Araújo, então o mais importante do país, sendo ali publicado até 28 de maio de 1897. A partir de 31 deste mês tornou-se jornal autônomo. Ao todo foram publicados 127 números.

Ali, além de poemas humorísticos, assinados com o pseudônimo de Pierrot, Rabelo colaborou em dois romances de pura galhofa, *Coração sem Alma* e *A Cabeça que Fala*, escritos em coautoria com Olavo Bilac e Guimarães Passos.

Gozando de prestígio entre os colegas e de receptividade popular, colaborou em seções humorísticas, em geral com pseudônimos, como a “Casa de Doidos” e “O Engrossa”, ambas na *Gazeta de Notícias*. No início do século XX, escreveu para *A Notícia*, jornal impresso em papel cor de rosa, o vespertino de maior circulação na cidade, e foi editor de *A Cigarra*, em substituição a Olavo Bilac.

Como era de praxe, foi assíduo às rodinhas da Rua do Ouvidor, do Café Papagaio, situado na Rua Gonçalves Dias, entre Ouvidor e Sete de Setembro, e da Confeitaria Colombo, um dos três mosqueteiros que sempre escoltavam Olavo Bilac.

Ao contrário dos outros dois – Guimarães Passos e Plácido Júnior – que formavam a "guarda real" bilaquiana, segundo a expressão de Luís Edmundo, Rabelo não era boêmio. No máximo, bebericava alguma coisa à tarde, após o encerramento do expediente, nas animadas rodinhas de intelectuais, entre uma piada e um dito espirituoso.

Era um companheiro agradável, de temperamento tranquilo, excelente conversador, sempre com uma réplica espirituosa na ponta da língua e um inesgotável estoque de *boutades*, ao gosto francês, em contraste com "uma certa filosofia pessimista e boêmia, que acaso o teria prejudicado na vida prática".[3]

Luís Edmundo assim lhe traça o retrato:

> É magro, pálido, um eterno *pince-nez* de cordão, sempre muito mal equilibrado na ponta de um nariz longo, quase uma cartilagem de tão fino. Sua boêmia, porém, é uma boêmia de horário. Sua vida, de uma

[3] *O País*, 28 de dezembro de 1905.

> desorganização organizada... Que o homem, na sua excêntrica desordem, tem método. Desvarios, se os faz, é só até as seis da tarde, ou sete, quando muito. Ninguém o viu, jamais, à noite, num teatro, no "Moulin Rouge", ou em qualquer casa de chope, por aí... Pai de família... Carregado de embrulhos, tem sempre o olho no relógio. E o pensamento em casa. No máximo, quando batem sete horas, bebe o último calixto de conhaque, cumprimenta os da roda e parte. Mora em S. Cristóvão. Lá chega, janta e arquiva-se.[4]

Algumas vezes, porém, desarquivava-se, permanecendo na rua além das sete horas. Assim ocorreu durante a vigência do Clube Rabelais, sociedade gastronômica organizada em 1892 por Araripe Júnior e Raul Pompeia. Rabelo foi um dos quinze sócios, que se reuniam "sempre na segunda sexta-feira de cada mês, sem brindes e sem discursos"[5] para jantar e, sobretudo, desfrutar o convívio dos amigos. Era sociável e fiel às reuniões. Nunca faltava.

---

[4] EDMUNDO, Luiz. *O Rio de Janeiro do meu tempo*. 2.ª ed. Rio de Janeiro: Conquista, 1957, 3.º vol., p. 629.

[5] OCTAVIO, Rodrigo. *Minhas Memórias dos Outros*. Última série. Rio de Janeiro: José Olympio, 1936, p. 59.

Num desses banquetes, Rabelo teve a ideia de reproduzir, ao vivo, o famoso quadro *Lição de Anatomia*, de Rembrandt, fixado pela fotografia. Nela, Artur Azevedo, deitado numa mesa, está sendo dissecado por Coelho Neto, observados por Bilac, Rabelo e mais seis companheiros. É a única ideia fantasista extravagante, ao gosto da época, que dele se conhece, se é que foi mesmo sua. Prestigiou, ainda, outros banquetes, como o comemorativo dos 22 anos de publicação das *Crisálidas*, realizado em 6 de outubro de 1886, no Hotel do Globo, e as reuniões da *Revista Brasileira*, que deram origem à Academia Brasileira de Letras.

Quando escolhido como um dos 40 fundadores da instituição, Rabelo tinha dois livros publicados. O terceiro apareceu no ano de fundação da Academia; no ano de sua morte, lançou mais um livro. Essa pequena obra abrange três gêneros: poesia humorística, poesia lírica e contos.

Os contemporâneos atestam que tinha grande facilidade para compor poesias humorísticas e satíricas. Na época, esses versos agradavam muito ao público. Lidos hoje, decepcionam. Faltam-lhes a espontaneidade e a graça que caracterizam, por exemplo, a produção de Guimarães Passos e sobretudo a de Bilac. Rabelo tinha ideias até interessantes, mas a expressão não correspondia à idealização. A mão era um tanto pesada para um gênero que exige, antes de tudo, leveza e malícia.

Uma parte mínima dessa produção, que parece ter sido abundante, foi reunida nos volumes intitulados *Filhotadas* (1897), publicado com o pseudônimo de Pierrot, e *Casos Alegres: Histórias para Gente Sorumbática*, lançado no ano de sua morte (1905), com o mesmo pseudônimo.

Bem menor foi a sua produção lírica, reunida em *Ópera Lírica* (1894), seu livro de estreia. Apenas 21 poemas, de orientação parnasiana. Manuel Bandeira, de gosto exigente, incluiu-o na *Antologia dos Poetas Brasileiros da Fase Parnasiana.*[6] Nélson Werneck Sodré também valoriza esse aspecto de sua obra e, talvez sem conhecê-la, garante que "seu nome é melhor recordado como poeta".[7] Na realidade, o poeta hoje só é conhecido por raros especialistas em história da Poesia brasileira.

Em 1895, Rabelo lançou uma coleção de oito contos, reunidos com o título de *A Alma Alheia*, a parte mais estudada de sua obra. Na ocasião, José Veríssimo notou a exagerada subserviência do estreante a dois escritores de expressão tão distintas, Coelho Neto e Machado de Assis, este sobretudo, sinal de que o jovem autor ainda não descobrira a sua identidade. O

---

[6] BANDEIRA, Manuel. *Antologia da Poesia Brasileira da Fase Parnasiana.* Rio de Janeiro: Ministério da Educação e Saúde, 1938, p. 271.

[7] SODRÉ, Nélson Werneck. *História da Literatura Brasileira.* 4.ª edição. Rio de Janeiro: Civilização Brasileira, 1964, p. 467.

grande crítico assinalava que o pensamento e a concepção de vida de Rabelo não lhe pertenciam, eram meros decalques, e o estilo ora refletia a exuberância adjetivosa de Coelho Neto, ora se contentava na "imitação estreita dos processos"[8] de Machado de Assis.

Mais do que simples imitação, era uma paródia servil, um pastiche do estilo machadiano. O alerta de Veríssimo circulou nos meios literários e o próprio Machado, com gentileza extrema, mais do que com realismo crítico, procurou atenuar o impacto da crítica. Na seção "A Semana", que mantinha na *Gazeta de Notícias*, referiu-se ao livro de maneira elogiosa, afirmando tê-lo lido "com prazer e cheio de esperanças", apontando "A Barricada" e "Cão" como os "melhores da coleção". Aludindo à influência de sua maneira, observa: "Tem-se notado que o seu estilo é antes imitativo, e cita-se um autor cuja maneira o jovem contista procura assimilar. Pode ser exato em relação a alguns contos", acrescentando que, com a experiência, o escritor descobriria a sua feição "própria, única e definitiva".[9]

---

[8] VERÍSSIMO, José. *Estudos de Literatura Brasileira*. 1.ª série. Rio de Janeiro: H. Garnier, 1901, p. 269.

[9] ASSIS, Machado de. *A Semana*. Rio de Janeiro: Garnier, 1914, pp. 271-271. O escrito está datado de 27 de outubro de 1895.

Afrânio Peixoto viu o problema por um ângulo original, atribuindo a imitação a uma intenção humorística:

> Pedro Rabelo inaugurou aqui gênero que podia ser hilariante e deu a Charles Muller e Paul Reboux, em França, nos ensaios *À la Manière de...* momentos deleitosos de humorismo: a caricatura do humor. Foi quando num dos seus contos, se pôs a fazer a caricatura dos processos de Machado de Assis. Tem graça esse arremedo do humor.[10]

O ensaísta baiano refere-se, especificamente, ao conto "Caso de Adultério".

A posteridade foi ora cruel, ora generosa com o contista. O maledicente Agripino Grieco diz que ele "deixou-nos frases que parecem insetos de patas para o ar" e que seria melhor "conservar-se inédito, à semelhança de Paula Nei e outros escritores notáveis exatamente por nunca terem produzido coisa alguma".[11] Já Herman Lima, ao estudar a evo-

---

[10] PEIXOTO, Afrânio. *Humour*. Rio de Janeiro: W. M. Jackson, 1947, p. 169.

[11] GRIECO, Agripino. *Evolução da Prosa Brasileira*. 2.ª ed. Rio de Janeiro: José Olympio, 1947, p. 134.

lução do conto brasileiro, descobriu em *A Alma Alheia* "algumas páginas perduráveis",[12] salientando três trabalhos: "Mana Minduca", "O Jeromo" e "Obra Completa". Opinião semelhante foi formulada por João Pacheco, ao estudar o Realismo. Encontrou "inegáveis qualidades"[13] nos contos de Rabelo, concluindo que lhe faltou tempo para se aprimorar, em razão de sua morte prematura. *A Alma Alheia* teve reedição popular em 1974, na coleção Obras Imortais da Nossa Literatura, da Editora Três.

Rabelo morreu de tuberculose, em 27 de dezembro de 1905, "longa enfermidade cortada de crises dolorosíssimas".[14] Já se achava afastado do jornalismo, quase esquecido do público. Deixou mulher e duas filhas.

A homenagem dos amigos foi sintetizada no soneto intitulado "A Pedro Rabelo", composto na ocasião por Emílio de Menezes:

---

[12] LIMA, Herman. *Variações sobre o Conto*. Rio de Janeiro: Ministério da Educação e Saúde, 1952, p. 76.

[13] PACHECO, João. *O Realismo* (1870-1900). 2.ª ed. São Paulo: Cultrix, 1967, p. 157.

[14] *Jornal do Commercio*, 28 de dezembro de 1905.

Tu, que hoje cais no misterioso abismo,
Depois de incerta e tropeçante viagem,
Por teu amargo e mórbido humorismo,
Eras do nosso meio a própria imagem.

Não te valendo o musical lirismo,
Não te valendo o apuro da linguagem,
Foste arrastado pelo pessimismo,
Que ataca os que perderam a coragem.

No entanto, o verso teu era um escudo
De ouro polido e de cristal perfeito,
Que ora chamava ao sonho, ora ao estudo.

Tu, que vítima foste deste estreito
E torpe meio, que avassala tudo,
Descansa em paz no derradeiro leito.

BIBLIOGRAFIA

Ópera Lírica. Rio de Janeiro: Imprensa Nacional, 1894.

A Alma Alheia. Rio de Janeiro: Casa Mont'Alverne, 1895.

Filhotadas (com o pseudônimo de Pierrot). Rio de Janeiro: *Jornal do Commercio*, 1897.

Casos Alegres: *Histórias para Gente Sorumbática* (com o pseudônimo de Pierrot). Rio de Janeiro: S.E, 1905.

ANTOLOGIA

Caso de Adultério

Trinta anos há que isto foi... E daí, há talvez 35 ou 40. A casa era na Rua do Núncio, mais para a dos Ciganos do que para a do Visconde do Rio Branco. Por aquele tempo ainda esta não era do Visconde do Rio Branco. Era mais fidalga e mais simples: do Conde, sem mais nada. A nova denominação veio depois, com o Ventre Livre, com as festas de [18]71. Já por aí se vê que foi há mais de 30 anos. Mas não importa; a casa era na Rua do Núncio.

Agora, de onde seria quem a habitava? De S. Paulo, diziam; mas também se dizia que era do Rio Grande. Outros asseguravam que era de Santa Catarina, até pelos modos, quanto mais pelos olhos pretos e pelo moreno do rosto. Seria ou não? Havia divergências em toda a Rua do Núncio, na própria Rua do Conde. Uma noite, no vizinho do lado, paredes meias, brigou-se por causa de D. Senhorinha Duarte. Foi na casa das Machado, velhas ambas, solteiras as duas. Mana Melinha teimava que a moça era de Porto Alegre.

– Qual Porto Alegre! Aquilo é paulista; é cara da Aparecida...

Mana Júlia conhecia S. Paulo. Teimaram; acabaram por não se falar mais. A história não cogita de coisas mínimas; se cogitasse, haveria de mencionar que, para as Machado, nunca mais lhes chegou o momento da reconciliação.

De onde era D. Senhorinha Duarte? Da Travessa das Partilhas. Nasceu lá, por uma tempestuosa noite de março. Restos de verão; últimas trovoadas secas... O pai assustou-se muito, não naquele dia; o susto veio-lhe duas semanas antes. Culpa da folhinha de Ayer. Lá estava o aviso, muito miudinho, nestas quatro palavras, ainda mais ameaçadoras do que miúdas:

Fortes
trovoadas
ao
Sul

A semana passou sem trovoadas, só com o susto. Veio outra; Ayer já não cogitava de relâmpagos, nem de trovões. Que muito é que também o pai de D. Senhorinha não cogitasse deles? E passavam os dias. Mas, numa bela noite, lá aparecem os relâmpagos. A trovoada vinha, estrondeante, atordoadora. D. Senhorinha veio com ela, muito pequenina, envolta nuns tênues panos bordados.

O pai de D. Senhorinha ainda o não fora de ninguém mais. Tomou-a nos braços, beijou-a na boca, nos olhos, na testa... Beijou-a muito, ao acaso. Tinha os olhos úmidos, não dizia nada. Olhava para a filha, beijava-a, tornava a mirá-la outra vez.

– Está bom, agora deixe ela dormir... Olhe, faça favor de mandar-me dar a alfazema.

– Ah! sim... A alfazema...

E repetia "a alfazema, a alfazema". Só. "A alfazema, a alfazema." Deu uns passos, deixou-se cair no sofá. O dia ia clareando. A comadre esperava pela alfazema. Esperava; não vinha cousa nenhuma. E foi buscá-la ela mesma. O pai de D. Senhorinha ficou sozinho, a dormir.

Eis aí como, por uma tempestuosa noite de março, veio ao mundo a bela rio-grandense da Travessa das Partilhas. Cresceu, esteve no colégio, teve namorados e casou. Há aí um episódio de viagem, não em solteira, mas depois de casada. Viagem a Pelotas... Porque, no fundo, uma das Machado não deixava de ter a sua pontinha de razão. D. Senhorinha esteve em Pelotas. O marido era conferente da mesa de rendas; ou por outra, foi conferente mais tarde, depois das núpcias, talvez dois anos depois. Antes era escriturário, 2.º ou 3.º. E D. Senhorinha veio de Pelotas para a Rua do Núncio. Chegaram cedo; as Machado já estavam à janela, cumprimentaram sorrindo, muito amáveis; e ficaram a ver entrar a mobília. Tão disparatada, tão velha! Já lhes parecia que devia ter sido comprada em leilão.

Talvez, D. Senhorinha teve saudade de Pelotas; mas, se as teve, deveu-as ao marido. A princípio, Duarte era um marido modelo; ia de casa para a alfândega – estava adido à alfândega – e saía da alfândega para casa. Mas numa certa frígida tarde não veio; veio à noite, às sete horas. Tinha ficado com o ministro; negócios urgentes, relatório, o diabo! Era uma quarta-feira; no sábado foi pior. Ficou toda a noite na rua. O ministro era incansável, parecia de ferro. Que se lhe havia de fazer? D. Senhorinha chorou, mas não disse nada. Duarte viera às seis horas da manhã, com o dia claro. E o relatório continuou.

O relatório morava na Rua do Hospício. Tinha cabelos castanhos, meio louros; pescoço comprido, emergindo de rendas largas e caras. Duarte viu-o uma vez, de volta da repartição. Sorriu; o relatório sorria também. Coitado! Sorrira já tantas vezes, para tantos conferentes adidos... Mas Duarte chegou há meses de Pelotas. O relatório sorria; ele foi até o canto da Rua da Vala, voltou, fez um sinal... No dia seguinte mandava lá um moleque; três dias mais tarde ele e o ministro começavam a trabalhar juntos, pela noite adiante. O país ia ver o que era um relatório da Fazenda!

Parece que ainda se não falou aqui do Dr. J. Mendes. Tem 27 anos e foi promotor no Rio Grande do Sul. Conheceu lá o Duarte, prestou-lhe obséquios; chegou há pouco, com licença, e frequenta a casa de D. Senhorinha. É, porventura, um dos que lhe dizem com os olhos o que a ela já lhe não é dado ouvir. J. Mendes descobriu o caso do relatório. Não porque visse, mas porque lhe disseram. Aliás, não precisava de que lhe dissessem cousa nenhuma. D. Senhorinha tem agora um par de olheiras que contam tudo o que o marido anda fazendo; e fala com uns ares de mártir dolorosa. Na véspera ainda, Duarte teve de organizar umas tabelas. Serviço delicado, cousa de muita confiança. E nem jantou em casa, nem voltou senão no dia seguinte. Esqueceu-se de que tinha convidado J. Mendes para jantar. J. Mendes é que não esqueceu o convite, e foi. Bateu à porta, meio trêmulo, meio receoso.

– O patrão ainda não veio, mas a senhora está...

– É o doutor... Entre!

D. Senhorinha sorria, ao alto da escada; ela própria vinha abrir. Mais bonita, num amplo vestido de cassa. As olheiras estavam talvez maiores; muito pouco, mas estavam. O rosto é que já não tinha nada de mártir, nem a fala. J. Mendes estranhou a mudança; mas não se despediu, não procurou nenhum pretexto para se ir embora. Subiu, muito trêmulo, muito receoso. D. Senhorinha recuou um pouco, para deixá-lo passar. A alma dela devia estar tramando alguma cousa. Foram para a sala. A criada seguia adiante; abriu as janelas, ficou a endireitar umas jarras...

– Vá dizer lá dentro que não demorem muito o jantar... Olhe, veja se falta alguma cousa. Seu amo talvez jante fora.

A criada ia embora, mas não foi. Sacudiu umas flores, apanhou uns jornais caídos. Saiu enfim. O Duarte não jantava em casa; J. Mendes achou que se devia admirar.

– Janta fora, o Duarte!?

– Janta, ou não janta. Quem sabe lá o que ele pretende fazer? A mim, disse-me que jantava em casa; mas também o disse ontem...

– E não veio.

– Não veio; veio hoje... Mas quem lhe disse que ele não veio ontem?

– Ninguém... Eu não precisava de que ninguém me dissesse; eu sei...

– Sabe o quê?

– Sei que a senhora.. A senhora agora não é muito feliz.

– Não sou? Por que não? O Duarte...

– O Duarte, D. Senhorinha... Escute; a senhora sabe que eu sou muito seu camarada, não é?

– É; o senhor é muito camarada da nossa família.

– Principalmente... da senhora.

– Meu, por quê? Pois não é tão meu camarada como de meu marido?

J. Mendes não respondeu logo. Parece mesmo que a resposta, já a entenderam os olhos de D. Senhorinha. Aquela pergunta veio, talvez, em busca de umas palavras que ela espera desde que o fez entrar. Mas se J. Mendes não respondeu, ao menos chegou-se mais para ela. Fitou-a bem em face. D. Senhorinha baixou os olhos, corou; ficou assim, contando as tábuas do assoalho.

– A senhora sabe que eu sou mais seu camarada do que dele.

– Não sei nada.

– Sabe, D. Senhorinha.

– Sei por quê?

J. Mendes abaixou a voz; cerrava os lábios, as palavras saíam-lhe através do bigode, ainda perfumadas de brilhantina:

– Lembra-se de quando estava em Pelotas? Me perdoe; eu prometi não falar enquanto ele fosse bom para a senhora. Mas agora não é. Lembra-se do que lhe disse em Pelotas? Nem sabe o que tenho sofrido por sua causa, Senhorinha... Não viu que deixei tudo lá, família, lugar, interesses, tudo? Vim só para poder estar aqui, falando com você, ouvindo o que você diz. Para que há de ficar no Rio, maltratada, esquecida por uma sujeita à toa? Pensa que o Duarte ainda lhe estima? Há de ver o que ele faz. Olhe, eu tenho um dinheiro junto; vamos viver no Rio da Prata. Quer ir, Senhorinha? É a sua felicidade que eu lhe estou oferecendo.

D. Senhorinha ouvia em silêncio; ou não ouvia. Ficara muito séria, cabeça baixa, olhos fitos no assoalho. Talvez nem sentiu que J. Mendes lhe enlaçava a cintura, nem o viu todo curvado para ela. Mas, de súbito, estremeceu; J. Mendes apertava-a nos braços. E os ouvidos de D. Senhorinha ouviram estas doces palavras melífluas:

– Meu bem, meu amor!

D. Senhorinha levantou a cabeça; olhou-o. J. Mendes repetia a frase, e abanava a cabeça. O cabelo dele brilhava; tinha-o aberto em duas pastas, encaracolado, lustroso de óleo:

– Meu bem, meu amor!

Os olhos, as narinas, a boca de J. Mendes, tudo se abria, melífluo e doce. Não sei que cousa passou pela alma de D. Senhorinha. Foram náuseas, se é que a alma tem náuseas. Pelos olhos sei que lhe passou num relâmpago; talvez o mesmo que ela viu ao nascer, na Travessa das Partilhas. Deixou J. Mendes de joelhos no tapete; mal o mandou embora. "Vá embora, me deixe!" E correu para o quarto. Chorou; chorou muito. Não jantou nem dormiu. Duarte, ao voltar no dia seguinte, ainda a encontrou chorando. Perguntou o que era; não sabiam. Talvez doença.

– É possível, é ... O Justino que vá chamar um médico.

E ia saindo, mas parou à porta:

– Olhem, hoje não me esperem para jantar.

A Barricada

Passos soaram, não muitos; poucos e mal distintos. Quem era deteve-se, talvez, à porta; mas se é que se deteve, cobrou ânimo e subiu. Dava meia-noite; noite sem luar, escura e úmida. Nasceu daí, porventura, a indecisão de quem vinha. A escada era íngreme. Quem quer que fosse, parou ao alto, olhou em roda, bateu palmas, medrosas e tímidas. Ouvia-se-lhe a respiração. O ruído acordou uma voz, dentro:

– Há alguém aí?

– Mandou saber se está melhor, se precisa alguma cousa...

– De onde é?

– Dali defronte, do sobrado...

– Ah! diga que está assim mesmo... Por ora não precisa cousa nenhuma. Diga que fica muito obrigado, ouviu?

Passos soaram de novo, não tímidos, nem medrosos; rápidos, como os de quem tem pressa de sair. Quem era desceu, parou à porta, colheu as saias, atravessou a rua, correndo, e sumiu-se.

Olhos que me ledes, detende-vos; parece-me que por aí anda uma incorreção. O ruído não foi acordar nenhuma voz dentro. Essa que se levantou lá ao fundo, na sala, mudou talvez de assunto; mas nem se calara, nem dormia, há três noites.

Calou-se agora; outra surdiu, mais baixa, voz conselheira e amiga:

– Eu em seu lugar, D. Adelaide, tratava de procurar bem... A boca do mundo fala muito, mas não fala sem razão. Se seu mano morresse, já a senhora não ficava atirada por aí, sujeita aos outros, precisando morar de favor...

– Se ele tivesse alguma cousa, já tinha dito.

– Podia não dizer. Não é por falar mal, mas a senhora mesmo sabe; ele sempre foi muito apertado. Gastava pouco e ganhava muito. Eu não via, mas meu marido contava. E não era só meu marido, eram os vizinhos todos. Só aquela causa do Mauá quanto não lhe deu? Pra mais de seis contos de réis. E o resto? Dinheiro não se some; quando a gente não gasta, ele fica.

– E há quanto tempo foi isso? Contos de réis também não duram sempre; às vezes, não duram um ano, quanto mais quatro ou cinco. Se maninho tivesse dinheiro ele trazia. Não tem nada, creia. Ontem, antes da senhora chegar, ele me chamou. Eu fui. Estava muito amarelo, com os olhos cheios d'água. Olhou para mim, encarou bastante, depois disse assim: "Adelaide, seu mano vai embora..." Eu desatei a chorar; ele pegou-me na mão: "Você sabe que seu mano não tem nem um vintém para lhe deixar, não é, maninha?"

Eu disse que sabia, com a cabeça. Ele tirou-me as mãos dos olhos, puxou-me o rosto para bem perto: “Diga se sabe, Adelaide; eu não tenho nem um vintém, não é?” Os olhos dele estavam espetados nos meus. Ficou olhando, olhando... Eu disse que sabia. E vim embora. Se ele tivesse dinheiro, não fazia isto.

– A vista às vezes engana...

– Na hora da morte, D. Lúcia!

– A senhora é muito moça, não conhece o mundo; eu conheço...

– Por amor de Deus!

– Conheço; a senhora é que não conhece. Há de ver...

– Escute.

Havia um rumor, pouco pronunciado, contínuo, não muito longe. Calaram-se ambas. Escutavam. O ruído vinha do quarto, ao fundo. Era como um resfolegar de doente. Gemidos acaso; acaso palavras soltas, sem nexo. O quer que fosse, mal se entendia, através das paredes, das portas cerradas, do longo corredor escuro. Mana Adelaide curvou-se para o lado da sala, pôs a mão em côncavo, bem junto do ouvido. E ficaram caladas, imóveis.

– Parece que está chamando...

– É o vento.

– Vento assim, D. Lúcia!

– Há de ser. Às vezes...

– Olhe.

Gemidos ou palavras soltas, percebia-se que alguma cousa era. Mana Adelaide levantou-se:

– Eu vou ver.

D. Lúcia pôs-se de pé, arredou a cadeira:

– Espere; eu também vou.

A outra sorriu.

– Não é por medo, não. A mim não me metem medo os vivos, quanto mais os que estão para morrer. É que eu não gosto. Assim até é melhor; nem eu fico sozinha, nem a senhora vai sozinha também.

Foram. O corredor era longo, longo e escuro. D. Lúcia levava uma vela. Alçava-a bem, para alumiar o caminho. O vento apagava-a quase. Pararam junto ao quarto. Mana Adelaide abriu a porta, entrou, chamou baixinho:

– Mano Malveiros...

Gemidos ou palavras soltas, o que era calou-se de súbito. D. Lúcia levantou a vela, para alumiar melhor. A luz bateu primeiro na cômoda, por sobre a lamparina; passou ao lavatório, parou na cama de ferro. Os lençóis agitaram-se; quem lá estava moveu-se, agarrou-se a eles, virou-se para a parede.

– Maninho está chamando?

D. Lúcia curvou-se para a cama, levantou mais a vela:

– Está chamando, Dr. Malveiros?

Malveiros descobriu o rosto, magro, escaveirado, amarelo. Os olhos brilhavam-lhe, muito vivos, muito trêmulos. Ficou olhando, entre desconfiado e severo.

– Não conhece, maninho? É D. Lúcia, a vizinha aqui do canto...

O olhar de Malveiros buscava o de D. Lúcia; o dela é que o não buscava, nem reparava nele. Procurava outra cousa; e daí, bem pode ser que não buscasse cousa nenhuma. Andava da cômoda para a cama de ferro; mergulhava nos lençóis; ia da cama de ferro para as gavetas da cômoda. Traspassou-as, acaso, agudo e fixo que era. Mas, se a alguma cousa buscava, certo é que não a encontrou; voltou da cômoda com uma expressão de desânimo; subiu ao teto, desceu às tábuas do soalho, mirou-se no espelho do lavatório. O espelho disse-lhe porventura que se traía. D. Lúcia compôs o rosto, amorteceu os olhos. Quando Malveiros os encontrou, ressumbravam piedade pelo doente. Mana Adelaide ainda os achou piedosos e amigos.

– Está acabado, não é, D. Lúcia? Quem o viu, há dois meses! Lembra-se daquele jantar dos meus anos? Riu, brincou, dançou... Nem parecia velho! Para hoje estar atirado numa cama.

– Não acho que esteja muito mal, não... Agora, ficar assim no escuro é que lhe não há de fazer bem. Por que não deixa a vela em cima da cômoda?

– Luz forte no quarto! É porque a senhora ainda não viu o que ele faz. Não suporta nem a lamparina; é preciso botar uma cousa adiante, pra não deixar a claridade toda.

– Mas estar assim no escuro não é bom, não.

– É o que ele quer; diz que a luz lhe dói nos olhos...

– Talvez seja por outra cousa.

– Não é por outra cousa; deve doer mesmo. Não viu quando a senhora entrou com a vela, como ele se virou para a parede?

– Enfim, isso ainda pode ser... Mas por que é que não deixa mudar a roupa da cama? Doente nenhum faz isto. E então roupa úmida, como a dele está...

– A senhora sabe; ele quase que não se pode levantar. Já vê que andar de um lado para o outro, para deixar limpar a cama, incomoda. E depois, quando se fica assim, não é um lençol lavado que dá vida.

– Mas não precisava tirar a cama toda, agora então que ele está encostado à parede. Quer ver como é...

D. Lúcia ainda não concluíra, e já o lençol lhe estava seguro na mão; seguro por uma ponta. Puxou-o de um gesto rápido, da cabeceira para os pés. Talvez quisesse deslocar as almofadas; se é o que pretendeu, conseguiu-o. Os olhos mergulharam-lhe abaixo delas; regressaram em breve, deslumbrados, acaso satisfeitos. O lençol é que não veio, nem a mão de D. Lúcia. Malveiros agarrou-a, cravou nela os dedos hirtos. O relâmpago que lhe passou pelos olhos não foi tão rápido que ele o não surpreendesse. E segurava o lençol, com a mão livre, com o peso do corpo. Tremia todo, de raiva ou de frio. D. Lúcia teve medo, abrandou os olhos, deixou o lençol livre. Malveiros trouxe-lhe a mão, presa, até a beira da cama; empurrou-a para fora, para longe. Ela curvou-se ainda para a cama, tranquila a fala, os olhos resignados;

– Não quer, paciência. Mas ao menos é bom tomar alguma cousa quente. Por que não toma um caldo?

O olhar de Malveiros traspassava-a, desconfiado, ríspido. Cravou-se no dela; talvez lhe buscasse ler na alma, que não mente. Os olhos mentiam. D. Lúcia insistiu pelo caldo:

– Tome, que lhe faz bem. Nós vamos aprontá-lo, quer?

Nem esperou pela resposta. O que ela queria era porventura ver-se fora dali. Tomou da vela, pôs-lhe a mão por diante, para abrandar a luz. Voltou-se para a mana Adelaide:

– Não é, D. Adelaide? Vamos preparar um caldinho para ele...

Abiu a porta, saíram. Malveiros ficou só. Os passos de D. Lúcia iam-se calando, diminuindo. Ele ergueu-se na cama, não muito; pouco, com dificuldade. Apoiou-se às almofadas, aplicou o ouvido. Já nem se distinguiam os passos de D. Lúcia. Os olhos e o rosto iam-lhe tomando uma expressão de tranquilidade. Não digo que se transfigurassem. A mudança era lenta, como se ainda lhe sobrassem cuidados alerta. Aplicou mais o ouvido. Não vinha ninguém. Sentou-se na cama; as pernas caíram-lhe para fora do chambre, nuas, muito magras, sem cor. Dentro, na sala, havia um rumor de colheres.

Malveiros olhou em roda, voltou-se para a cabeceira, curvou-se um pouco, estendeu o braço. A mão dele mergulhou na almofada; foi lá ao fundo, voltou contraída e trêmula, menos trêmula do que contraída. Não afirmo o que trouxe, porque já se não conhecia bem. Eram papéis, num maço; oleosos, encorpados e úmidos. A alguns, mal se lhe distinguia um rosto de homem. Talvez nem fosse de homem. Números sei que tinha, diversos, pequenos e grandes. Letras também; palavras até, em arabescos, em círculo, mais escuras num canto, mais claras noutro.

O rosto de Malveiros dilatava-se. Súbito, guardou o maço; aplicou o ouvido. Não vinha ninguém. Tirou-o de novo, desenrolou-o, pô-lo sobre o joelho. Alisava os papéis;

descolou-os depois, com vagar, com trabalho. Ia-os separando, um por um; não em silêncio, alguma cousa se lhe ouvia. Era como se cada papel daqueles lhe arrancasse um gemido. Gemidos ou palavras soltas. Talvez palavras; dir-se-ia que ele contava baixinho, a meia voz. Talvez estivesse rezando. Mas o que era, acabou. Malveiros teve um suspiro de alívio, de desafogo. Teve-o e ficou sentado, olhando em roda, como quem procura uma ideia.

Se é que procurava, a ideia não veio; se é que veio, foi repelida. Os olhos dele iam tomando uma expressão de desânimo, de desespero, de dor. Fitava-os na cômoda, no soalho, no teto; passeava-os vagarosos, pelo chão. Por vezes, aplicava o ouvido. Não vinha ninguém. Ensaiou uns passos; vergavam-lhe as pernas. Meteu os papéis no seio; sentou-se, curvou a cabeça. Dentro, na sala, a voz de mana Adelaide ergueu-se, alta, surpresa:

– A senhora viu, D. Lúcia!

– Se eu vi? Vi com estes que a terra há de comer...

Malveiros alçou a cabeça. Alguma cousa o reanimou, por certo. Prestou ouvidos; a voz de D. Lúcia calava-se, diminuía... Brilhavam-lhe os olhos, lúcidos, vivos. Não eram os olhos de há pouco, feitos de desânimo, de agonia; eram olhos enérgicos, plenos de força, cheios de vontade. Levantou-se, trêmulo; firmou-se nas pernas, deu uns passos. Andava. Andou um pouco; os passos eram-lhe mais seguros. Foi até a porta... A porta estava aberta, cerrada apenas. Ele fechou-a a chave, com duas voltas. E veio direito à cama; parou, apoiado à cabeceira.

Olhava em roda. Dir-se-ia que lhe voltava a ideia de há pouco; se é que voltava, ficou; aceita, não repelida. Foi até a cômoda. Pisava melhor, mais firme. Parou, curvou-se, agarrou-a pelos cantos, de um lado. A cômoda era pesada, forte; ele puxou-a a custo. Puxou-a mais, arredou-a um pouco; arredou-a, moveu-a para fora. Passou para o outro lado, arrastou-a, moveu-a daí. O esforço cansava-o; suava de um suor frio. E arrastava a cômoda. Deu-lhe uma volta, pô-la ao longo do soalho; empurrou-a mais, levou-a até a porta, pô-la por trás dela, bem junto. Deixou-a ficar aí, tapando a entrada e voltou.

Agora não hesitava mais; andava como quem tem uma ideia fixa. Foi à cama, arrancou-lhe as almofadas, tirou as cobertas, as colchas. Dobrou o colchão, foi pô-lo sobre a cômoda. Agia rápido, com delírio, com febre. Tirou as tábuas, foi encostá-las à porta. Voltou, curvou-se junto à cama; correu-lhe os dedos, trêmulos, rápidos, pela cabeceira. Buscava alguma cousa; achou um ferro, tirou-o. A cama dobrou-se, aberta. Abriu-a do outro lado, fê-la bater no chão, arrastou-a até a porta; deixou-a aí, de pé, ao lado da cômoda, de encontro às tábuas, apoiada ao colchão. Por cima de tudo, as colchas, as almofadas, os lençóis.

Voltava, mas parou em caminho. A vontade dele pretendia por certo ir mais longe; as pernas não foram, dobraram-se-lhe, desfalecidas, quase mortas. Caiu de bruços. A vista ia-lhe ficando trêmula, escura; ergueu-se nos braços, pôs-se de joelhos. Talvez se levantasse; não pôde. Arrastou-se, foi de rastros ate o lavatório, pequeno, de ferro; agarrou-o por um pé, trouxe-o assim, arrastado, até a porta. Batiam-lhe os dentes; tinha as mãos geladas, gelados os pés. Um frio de morte, hórrido e lúgubre, apossava-se-lhe do corpo, subia-lhe à cabeça. Arrastou-se mais, aos poucos, para o meio do quarto; mirou a barricada, viu-a pequena e fraca; olhou em roda, à procura, pelas paredes nuas, pelo quarto vazio. Os olhos vagavam-lhe à toa; correram-lhe duas lágrimas. E foi através delas que ele lobrigou alguma cousa luzindo, num canto.

Os olhos trêmulos, a vista escura, não lhe reconheceram aquela escarradeira pequenina, de metal branco; o que ele via ia crescendo, crescendo... Devia ser de prata, pesada e forte. Malveiros tentou mover um braço. Não pôde; o braço pendia-lhe gelado, morto. Moveu o outro, arrastou-se mais, para perto. O que era crescia, crescia... Ele já não via bem; ia-se-lhe cerrando um véu pelos olhos. Estendeu o braço livre, procurou, não via nada. Os pés inteiriçaram-se-lhe. O olhar dele mergulhou numa noite profunda e espessa. Ficou de bruços, imóvel. Vinha rompendo o dia. O sol entrou, do alto, pelas janelas; bateu sobre Malveiros, banhou-lhe o rosto amarelo, os olhos vidrados; estendeu-se, alagou todo o quarto de ouro fluido. Lá dentro a voz de D. Lúcia falava, conselheira e amiga:

– Deixe ficar o caldo; já não lhe pode fazer bem. O que a senhora precisa é arrecadar tudo, logo que ele morra. Às vezes aparecem parentes de fora...

Ruínas

Estavam à mesa – uma larga mesa severa a que as cadeiras de alto espaldar estofado de couro davam uma solenidade abacial. A criada, apressadamente, retirava os últimos pratos da refeição servida. E Próspero, à cabeceira, recostara-se, com os olhos no teto, entregue a um vago sonho, enleio suave que o envolvia na doce calma daquela existência feliz.

Ao lado dele, Meli terminava pachorrentamente a sobremesa, com a despreocupação dos seus quatro anos. E Clara, perto, passara-lhe o braço pelos ombros, por sobre a camisola dum tênue azul e claras rendas diáfanas. Cintilavam cristais, à luz do lustre do salão de jantar.

Clara curvou-se então, um pouco mais para Meli, atraiu-a para bem junto do colo, e, a alisar-lhe a cabeleira loura, disfarçando, murmurou-lhe o quer que fosse ao ouvido.

Meli pareceu interrogá-la com os olhos: e, a um sinal afirmativo de Clara, voltou-se para Próspero ao lado:

– Papai vem cedo?

Ele não ouvira. Pairava-lhe longe o espírito; entrevia, talvez, a deusa amiga que de S. Paulo o tomara, advogado novo, e, asas benéficas cobrindo-o, fora levá-lo, feliz, ao solo fértil do torrão mineiro.

Sorrira-lhe a sorte.

Ao saltar do comboio fumegante para a plataforma tranquila e pobre, grossas camadas de poeira rubra cobriam-lhe o guada-pó barato. Mas, homem decidido e forte, Próspero tinha o coração repleto de esperanças. Sondou o terreno em que pisara. Pequeninos serviços gratuitos granjeavam-lhe simpatias. Estava satisfeito; ficou.

Era então o mais aceso duma campanha eleitoral; e o Coronel Chico Bento, dum lado, e o Vigário José Maria do outro, acirradamente se disputavam o governo municipal. Equilibravam-se as duas forças em luta; e mal se poderia prever o resultado da batalha cruel.

Recrudesciam velhos ódios, adormecidos rancores despertavam, ferozes. Hipotecas, de que em qualquer prazo o Coronel Chico Bento recebia os juros tardios, eram hoje a arma contra os amigos da véspera, tornados os adversários de agora. E eram seculares questões de terras, arrancadas ao pó dos arquivos do juizado de Direito, desabando cruéis sobre o inimigo irredutível. Penhora ou voto era a senha. Entretanto, ricos ambos, o coronel e o vigário não se dedignavam de prestar mão forte ao amigo a quem o adversário impiedoso viera cruelmente ferir.

Próspero era hábil; em pouco tempo mandava ele buscar ao Rio um companheiro de S. Paulo, a quem a morte do pai fizera abandonar o curso no 3.º ano. Fê-lo seu solicitador. Choviam-lhe contos de réis sobre a banca. Era o começo da fortuna. A exploração de uma fazenda abandonada à falta de braços, aumentou-a. Dos ex-escravos, Jorge ia a pouco e pouco fazendo colonos interessados na produção que houvesse. A sua administração triplicara as colheitas. A sua fortuna aumentava sempre. No município o Dr. Próspero era o que se chamava "um partidão". Em breve tempo, Próspero era convidado para a casa de Clara. Apaixonou-e por ela. Casou. Evocando essa data Próspero sentia ainda o alto júbilo daquele doce dia de amor.

– Papai! gritou uma vozinha chorosa.

Ele teve um sobressalto; abriu as pálpebras ainda envoltas no sonho. Despertou. Olhando-o fixamente, Meli esperava a resposta.

Clara aconchegara-a ao seio, beijara-a demoradamente perto do ouvido, e Meli repetia:

– Papai! Vem cedo?

– Próspero! responde à criança! fez Clara, recriminando-o.

– Vou responder... E, voltando-se para Meli: – Vou responder... Mas a senhora não acha que é muito...

Os olhos de Meli enchiam-se d'água.

– ... Muito bonita! concluiu, rindo.

Meli fitou-o dolorosamente, e, num soluço, voltada para Próspero, que continuava a sorrir:

– Me dá o lenço...

Tomou-o, enxugou os olhos, e, restituindo-o a Próspero, disse, magoada:

– Você fez eu chorar.

– Assustar a criança por brinquedo... – disse Clara, sacudindo desdenhosamente a cabeça. Sim, senhor! Pai amoroso!

Próspero adoçara a voz; e com o braço levemente passado sobre as costas da filha começou:

– Olhe; papai não pode vir cedo, não. Em primeiro lugar, a vitória de papai, depois que o João Cocheiro a atirou por um barranco abaixo, foi para o Rio, para se consertar, e até agora nada! Em segundo lugar, daqui à estação são quatro horas bem gordas, a cavalo; e eu tenho que fazê-las, aliás com prazer, porque se trata de ir buscar tua avó. São os teus – continuou, voltando-se para Clara –, sempre os amaste muito... (Todos os dias o afirmavas!)... Ora, como sabes, eu gozo imenso com a tua felicidade... Para encurtar razões: – Devo estar aqui lá para as cinco da manhã.

E, de súbito, a Clara:

– Tua mãe disse-te quantas pessoas vêm?

– Ela, Nenê, Ritinha ... As crianças.. Seis ou sete, no máximo.

– Deve ser isso mesmo... O landô basta.

Teve uma pausa.

– Clara chega aqui... – pediu.

Ela ergueu-se, no esplendor da sua beleza; e logo se lhe desdobrou o talhe esbelto, e ergueu-se-lhe o esculturado busto nobre. Próspero mirava-a, orgulhoso. Ela chegou-se para ele, que lhe puxara uma cadeira, e sentou-se.

Próspero atraíra-a a si, ternamente:

– Está contentinha agora? perguntou.

Ela teve um muxoxo; mas, à insistência do marido, tornou-lhe:

– Estou... Mas também você pra que me contraria? Antigamente, você não era assim...

– Injusta! Então não é verdade que sempre e sempre tiveste todas as tuas vontades satisfeitas? Quando casamos, em 1889, fomos logo para o Rio, e tu não perdeste uma só festa que fosse, daquelas feitas aos chilenos. Comodista como eu sou, compreendes que não iria ficar noites inteiras a trocar frases banalíssimas com este ou aquele conhecido de última hora, enquanto tu, enlaçada por um desconhecido, desaparecias aos primeiros compassos de qualquer valsa. Perdias-te no turbilhão diabólico daquela massa confusa de fardas plenas de ouro, de reluzentes peitilhos, e de negras casacas fúnebres, junto ao caleidoscópio das toaletes faiscantes de joias; e eu, porque tu te divertias, divertia-me a ser roubado pelos parceiros astutos dum animado pôquer de alta sociedade.

– É exato... Mas com quem dançava eu? Com o Jorge Lima, teu antigo companheiro de preparatórios, naquele tempo doutorando de Medicina. Por que o não privas de vir cá, agora que ele se decidiu a clinicar aqui, atraído pela boa sorte que te protegeu?

– Não sou homem para essas tolices, minha filha... Jorge é um tipo honesto, e leal. Se ele tivesse de deixar de vir à minha casa – acrescentou sorrindo – seria só por causa de Meli...

E, voltando-se para a criança:

– Não é verdade que gostas muito do Dr. Jorge? perguntou.

– Não quero gostar ! respondeu Meli bruscamente.

– Mas ainda te não disse tudo... continuara Próspero, acariciando Clara. Lembras-te de quando te davam uns pruridos musicais, a 30 léguas do Rio? Era abrir-se a estação lírica e a minha querida Clarinha reclamar logo o seu camarote. Acedi sempre. A fatigante viagem para o Rio parecia-me deliciosa. E tu satisfazias os teus desejos que são sempre os meus. E tu, à frente do teu camarote, dominavas a plateia com rigoroso luxo dos teus vestidos, e espalhavas pela sala o fulgor das tuas joias de preço... Sou um mau marido? Confessa que és injusta...

Apesar de que as mulheres não gostam de confessar nunca! Terminou, sorrindo.

E beijava-a demoradamente na fonte, na farta cabeleira negra que ela prendera ao alto da cabeça deixando ver a alvura imácula do pescoço.

– 'Stá bom; não és um mau marido, não... És até muito bonzinho para a tua Clara... Mas, vai tratar da condução para mamãe, anda... E, depois, há de fazer um S. João muito bonito, muita cousa boa... Arma-se uma fogueira bem alta...

– Com muitos galhos de abricó!... acrescentou Próspero.

– Por força... Para estalar bem... E depois, eu mando o João Caboclo pulá-la, só para meter susto na Ritinha... Quero ver bem aqueles fingimentos! Agora, o João Caboclo até parece um diabo quando pula aquele fogo!

– Mas, tu assim judias com tua irmã...

– Uma brincadeira à toa... Olha, meu bem! – acrescentou lembrando-se – já são horas... Vai depressa!

Próspero levantou-se, e chegou à janela. A noite fria baixava por sobre o campo em roda. Despontava no céu a lua pálida, e, distante, uma estrela, muito trêmula, luzia.

Próspero gozava daquela doce calma da roça; e os seus olhos vagavam, jubilosos, na doce contemplação do campo extenso, dum claro verde que o orvalho da manhã umedecia. Mas um estranho rumor se ouviu de súbito. Pela porteira, o pesado carroção das bagagens saía, aos solavancos, rodando para o povoado longe, onde a estação da via férrea adormecia.

Clara tivera uma lembrança:

– Por que não vai no landô, desde que vai vazio?

– E tu sabes o que é viajar numa carruagem por esses mil caldeirões de barro em lama? A cada passo mergulham na vala funda que os carros de bois abrem primeiro, e que, depois, centenas de outros se encarregam de alargar? Queres, talvez, que eu vá daqui me sepultar no barranco em que a vitória caiu?... Prefiro o galope regular do meu cavalo. E depois, o Malhado tem tino, escolhe bem onde pisa... "Cavalo velho sabe o caminho" costuma dizer o juiz de Direito... O Malhado confirma a afirmação do bom do juiz.

E dispôs-se a sair:

– Vou mandar o landô a toda pressa... disse. E eu vou mais devagar... Já não sou homem para altas cavalarias.

Abraçou-a, despedindo-se:

– Creio que vou a boa hora... Até a volta! – E, beijando Meli: – Durma bem, e sonhe com papai, ouviu?

– Traz vovó cedo.... Sim? pediu Meli. Bem cedo!

– Trago... Adeusinho!

Dirigiu-se para o interior da casa. Poucos minutos passados, o landô, guiado pelo João, descia para a porteira, e ganhando a estrada, corria para a estação.

Próspero apareceu então, a cavalo. Vinha calçado de fortes botas, o pescoço envolto num amplo xale, a cabeça coberta por um amplo chapéu de feltro:

– Até logo! gritou.

Clara, à janela do salão de jantar, despedia-se acenando-lhe com o lenço:

– Boa viagem!

Ele partiu. A noite pesava sobre a terra já coberta de orvalho. Um grilo estridulou perto. Clara entrou. Fazia-lhe mal aquele irritante animalzinho.

– Peste de bicho! exclamou.

Pela ladeira que levava à estrada mais próxima da estação, Próspero galopava regularmente, num suave balanço... O frio umedecia-lhe as rédeas que tinha à mão. O Malhado mostrava já o esguio pescoço coberto do orvalho gélido que caía. Ele galopava sempre, deixando-se levar pelo fiel amigo que era aquele animal de preço. Mas, inflamando o céu, longe, uma larga faixa rubra apareceu.

– Fogo! exclamou.

E apressou o animal.

O Malhado galopou, rápido, como quem conhece bem a estrada, e galgou logo o alto da ladeira, a cuja margem o perigoso barranco se escondia no escuro. Aumentava agora o esbraseado do céu.

– Que horror! exclamou Próspero. E é pra aquele lado que fica a fazenda do Procópio.... Dar-se-á caso que... Mas que horror! Que desgraça tremenda!

Era ao alto de uma colina que a larga mancha rubra do céu incendiava. A casa mal se distinguia, ainda envolta nos grossos jorros de fumo que buscavam o horizonte em chamas. Mas miríades de fagulhas denunciavam o trabalho destruidor do elemento voraz. Mas, num momento, na massa escura que era a casa longínqua, uma larga brecha se abriu, deixando ver o braseiro terrível. Estalavam ao calor das chamas as janelas do palacete. Outras janelas rebentavam. E uma formidável nuvem de fumo espesso, seguida do altear das labaredas, deixou ver a desgraça enorme do Major Procópio.

– Coitado! Mas, que fatalidade! Que cousa sinistra!

E esporeou o animal. Fugia àquilo. Confrangia-se-lhe o coração ao desabar de toda uma vida de labutar intenso, como a do velho fazendeiro. Aquela massa de chama e hórrido fumo, misto de fogo rubro e ainda esbraseadas ruínas, era o fruto da vida laboriosa dum homem tenaz. E para que tudo isso? perguntava Próspero a si próprio. Para que lutar e vencer se a fatalidade aguarda a hora do golpe certeiro?

Meditava. O Malhado não mudara a andadura. A estação, muito branca, estava já à vista.

Próspero saltava do animal fatigadíssimo, quando a voz de D. Bárbara o chamou:

– Ora até que afinal, senhor meu genro!

– Já aqui?

– Foi Ritinha... Não quis vir no noturno; tem medo dos descarrilamentos. Tivemos que adiantar a viagem. Mas, por amor de Deus, vamos embora.

O landô esperava-os. E D. Bárbara, Nenê e Ritinha acomodaram as crianças no carro. Subiram. O landô seguiu.

– Voa, João! gritou Próspero.

E a um camarada que lhe segurara o animal recomendou:

– Cuida desse animal que está gelado... Leva-o devagar.

Voava o landô. Os morros longe desapareciam, rápido, perdendo-se na neblina. D. Bárbara abafara-se bem. Nenê cobria de largas mantas as crianças já adormecidas. E ao longe, a fazenda já se deixava ver; aproximava-se... A marcha diminuiu. Era a fazenda.

– João! Para aí!

E acrescentou, falando a D. Bárbara:

– Quero fazer uma surpresa à nossa querida Clara. Ela só nos espera daqui a três horas... Vamos devagarinho...

O João, à boleia, esperava. E ao fundo do landô, desaparecendo sob um montão de fartos chalés, as crianças tranquilamente dormiam.

– Nenê... – fez Próspero – eu achava bom que você fosse com as crianças no landô e entrasse lá pelos fundos, para o João acordar as mucamas... Você conhece bem a casa; encarregue-se disso... Ou tem medo de ir só?

– Medo, eu?!

– Pois então, vai... Nós vamos entrar por aqui...

Ritinha à frente, e, atrás, apoiando-se ao braço de Próspero, D. Bárbara, subiram. E em pouco, francamente aberta para os lados, aparecia-lhes a larga escadaria da varanda.

– Agora muito silenciozinho... segredou Próspero.

– E a chave não faz barulho? perguntou D. Bárbara.

Próspero fez com a cabeça que não. E introduziu a chave na fechadura. A porta entreabriu-se, sem ruído.

Entraram; e, mudos, caminhando como audaciosos ladrões, mergulharam na meia treva da casa. Mas D. Bárbara não podia mais; cansara-se... Achava melhor esperar na sala de jantar, sentada... Aquelas botinas...

– Assim a surpresa não é feita pela senhora... retorquiu Próspero numa voz quase ininteligível.

E em breve, parando:

– Agora, esperem aqui... Eu vou ver se ela está dormindo...

E seguiu, pé ante pé. A porta do quarto ficava-lhe pouco adiante. Ele tornou ainda mais leves os passos, e, tateando, fê-la descerrar-se numa reveladora fresta. Olhava, procurando distinguir bem na treva, mas a uma infernal visão, uma onda de sangue subiu-lhe rápida à cabeça, faltou-lhe o ar, e ele apoiou-se à parede, retorcendo-se numa ânsia de morte. Era como se dois fortes braços lhe houvessem, num criminoso ímpeto, enlaçado o pescoço, esmagando-o. Arrancou o colarinho, num gesto brusco, e cambaleando, sorvendo a largos haustos o ar que lhe fugia, ele caminhou para D. Bárbara. Tremiam-lhe os dentes; envolvia-o uma nuvem de sangue.

D. Bárbara correra, tocada de um pressentimento mau.

– Que é isso, meu filho? Que é isso, Próspero?

E tinha na voz carícias de mãe assustada. Mas, nervosamente, cravando-lhe as unhas no pulso, Próspero agarrara-a:

– Cala a boca! rangeu.

E apertava-lhe mais o pulso, por onde um leve fio de sangue corria, arrastando-a para o quarto.

– Cala a boca!

À porta da alcova misteriosamente velada, a cabeça alourada de Jorge surdira, mal alumiada pela pequenina lâmpada que ardia à cabeceira de Clara.

Próspero arremessara o corpo frágil de D. Bárbara aos dois braços que Jorge abrira, num movimento de horrível pasmo, pálido de uma palidez de morte.

– Toma a outra! bradou Próspero. E como o corpo desfalecido de D. Bárbara rolasse, inerte, para o chão, ao mesmo tempo que no interior do quarto um doloroso grito estrídulo se ouvia, Próspero arremessou-lhe o insulto supremo:

– A outra... Tu! Tu que a formaste assim!... Tu! bramiu, num derradeiro esforço.

E, às tontas, indo de encontro aos móveis, tombando para as paredes, saiu. Num momento, pareceu ir de roldão pela escada; mas surdiu adiante, na noite escura. Passou-lhe o cambaleante vulto pela porteira, longe; e sumiu-se no pavor do campo lúgubre, atirado à estrada negra que é a da Loucura, a da Ânsia Extrema, a da Morte.

Dezembro de 1905

Pela Noite

Digam do amor com que eu a acarinhava,
Todos os astros, todas as estrelas...
Digam quanto as fitava e como, ao vê-las,
Ela, a estrela mais lúcida lembrava.

Dos céus em fora, pela noite, e pelas
Nuvens que eu tristemente contemplava,
Digam como daquele afeto escrava
Minh'alma ansiava por compreendê-las.

Tudo contem... Do meu estranho afeto
Falem, falem da minha dor contida
Por largos meses e por largos anos,

E esse que for o astro mais indiscreto
Conte como me viu a alma ferida,
Por desenganos sobre desenganos.

Página 102

Mágoa horrenda, ânsia horrenda, ciúme horrendo
Esta mísera página continha,
E ela, por lê-la, dos seus olhos vinha,
Vinha um fio de lágrimas descendo...

Esta os seus olhos, que choravam lendo,
Mais do que as outras páginas detinha,
E àquele pranto pela angústia minha
Iam-me os versos desaparecendo...

A sua última lágrima desfê-los...
Hoje, estes mesmos pobres versos choram
O lugar dos antigos ocupando,

E estes, como os primeiros, que os seus belos,
Seus tristes olhos apagando foram,
Vão-se-me agora aos poucos apagando.

Distante

Hoje soluça o vento nas palmeiras
E um gemido das árvores arranca...
Partiu! Corra mais límpida e mais franca
A torrente das lágrimas ligeiras.

Partiu! De longes terras estrangeiras
O bálsamo que as lágrimas estanca,
Traga-mo a asa tenuíssima, a asa branca
Da mais branca das pombas mensageiras.

Vendo-a, cale-se a dor, vão-se os soluços...
Fique ela só de longes terras vinda
Para consolo desta soledade.

Fique, e possa eu contar como, de bruços,
Doido, chorei sobre as tuas cartas, e inda
Como punge esta indômita saudade!

Trecho Final

Vai-se-me alfim como esquecendo a estranha
Rota, que a mim me foi de urzes coberta...
Desperta, coração! Alma desperta,
Banha-te ao sol que o espaço e a estrada banha.

Mágoa como essa, intérmina, tamanha,
Não mais meu pobre coração te aperta;
E – alma! – a ti, toda em lágrimas aberta,
A ânsia das lágrimas não te acompanha.

"Seja abençoada essa que a dor minora!"
Direis... "Bendita essa que ao bosque umbroso
Aclara, e ao céu nevoento enche de luares..."

E porque a ti te encontro e tenho agora,
Que outrem, por mais ditoso, é mais ditoso,
No ermo destes aspérrimos lugares?...

Tenebras

Porque mais te não vejo, mais te sinto
Perto... Mais perto dos teus olhos ando.
Diz-mo não sei que delicioso e brando,
Como os vagos instintos, vago instinto.

'Stás perto, sinto-te.. E de quando em quando,
"Busca-a!" – manda uma voz. "Busca-a!" Consinto.
E ando de labirinto em labirinto,
Cego, paredes úmidas tateando...

Quem me há de os olhos descerrar? Teus olhos,
Pela doce alegria de trazer-mos,
Quem mos há de mostrar nesta ansiedade?

E amontoam-me escolhos sobre escolhos...
– Almas enfermas, corações enfermos,
Qual de vós é que sofre esta saudade?

Realmente

Marocas (um fazendão!)
Leva cada santo dia
Um diverso figurão
À mesma confeitaria.

Num dia com o esposo vem...
Pergunta o caixeiro, fora:
– O cavalheiro também
É marido da senhora?

Caso Comum

Morria, há meses, o Antônio
Pela Bárbara Durão...
Era a pequena um demônio,
Um verdadeiro peixão!
Vai ele, e pede-lhe a mão;
Celebra-se o matrimônio.
À capela a gente toda,
Toda a gente do lugar
E de dez léguas em roda,
Levou o galante par...

A rir, beber e dançar
Passa-se o dia da boda.

Amanhece, Antônio, irado,
Da alcova, rápido, sai:
– "Sou um homem enganado!
Há de ir pra casa do pai!"
E numa cadeira cai,
Abatido, desolado.

O sogro calmo e polido,
Responde: "Não tem razão...
Em que é que foi iludido?
Pois não lhe pediu a mão?
Quando for ocasião,
Faça melhor o pedido!"

⚜ A antologia apresentada foi formada por dois poemas humorísticos, extraídos das *Filhotadas*, cinco poemas líricos que integram *Ópera Lírica* e três contos, dois deles incluídos em *A Alma Alheia*. O terceiro, "Ruínas", é inédito em livro, publicado na revista *Kosmos*, de fevereiro de 1906, com a advertência de ter sido "o último trabalho literário de Pedro Rabelo".

Caricatura de Pedro Rabelo (Kalisto)

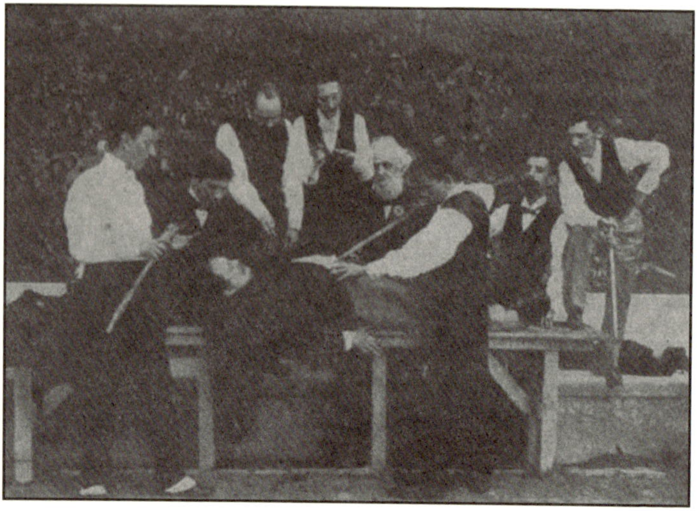

Lição de Anatomia, de Rembrandt, representada por Olavo Bilac, Aluísio Azevedo, Pedro Rabelo, Paranhos Perderneira, Raimundo Correia, Guimarães Passos, Coelho Neto e Artur Azevedo.

Série Essencial

001 Oswaldo Cruz, *Moacyr Scliar*
002 Antônio Houaiss, *Afonso Arinos, filho | 1.ª ed., ABL, esgotado.*
003 Peregrino Júnior, *Arnaldo Niskier*
004 João do Rio, *Lêdo Ivo*
005 Gustavo Barroso, *Elvia Bezerra*
006 Rodolfo Garcia, *Maria Celeste Garcia*
007 Pedro Rabelo, *Ubiratan Machado*

Composto em Caslon 11/15,5 pt.

IMPRESA OFICIAL DO ESTADO DE SÃO PAULO

Coordenação Editorial: *Cecília Scharlach*
Assistência Editorial: *Ariadne Martins*
Assistência à Editoração: *Ana Lúcia Charnyai*
Fernanda Buccelli
Marilena Camargo Villavoy
Marli Santos de Jesus
Teresa Lucinda Ferreira de Andrade
Editoração, CTP, Impressão e Acabamento: *Imprensa Oficial do Estado de São Paulo*

Foi feito o depósito legal na Biblioteca Nacional
(lei nº 10.994, de 14.12.2004)

Impresso no Brasil
2.ª edição

Formato: *13 x 18,5 cm*
Tipologia: *Caslon*
Papel Capa: *Cartão Triplex 250 g/m²*
Miolo: *Chamois Fine Dunas 120 g/m²*
Número de páginas: *68*
Tiragem: *2000*

Rua da Mooca, 1.921 Mooca
03103 902 São Paulo SP
sac 0800 01234 01
sac@imprensaoficial.com.br
livros@imprensaoficial.com.br
www.imprensaoficial.com.br